하루가 가듯 계절이 지나가고

하루가 가듯 계절이 지나가고

발 행 | 2024년 01월 04일
저 자 | 박희선
펴낸이 | 한건희
펴낸곳 | 주식회사 부크크
출판사등록 | 2014.07.15.(제2014-16호)
주 소 | 서울특별시 금천구 가산디지털1로 119 SK트윈타워 A동 305호
전 화 | 1670-8316
이메일 | info@bookk.co.kr

ISBN | 979-11-410-6411-2

www.bookk.co.kr

박희선 시집

하루가 가듯 계절이 지나가고

박희선

우리를 비천한 가운데에서도 기억해 주신 이에게
감사하라 그 인자하심이 영원함이로다
-시편 136편 23절-

작가의 말

내가 중·고등학교에 다닐 때에는 자유공원에서 백일장(白日場)이 일 년이면 몇 번 열렸다. 문예부원이었던 나는, 선생님이 백일장 참가자를 뽑을 때마다 다른 애들보다 먼저 손을 치켜들었다. 백일장에 참가하는 날이면 학교를 가지 않고 땡땡이를 치는 핑계가 되기 때문이었다. 원고지에다 시(詩)랍시고 몇 줄 끄적거린 뒤에, 커다란 꿀밤나무 그늘에서 배를 깔고 빈둥대다가, 원고 제출 시간이 되면 부리나케 원고지를 내던지고 인솔 선생님의 눈을 피해 홍예문 아래쪽으로 달음질을 했다. 그리고 용현시장에 있는 한일극장에서 동시상영(同時上映)하는 영화 두 편을 몰래 즐기는 스릴을 감행하곤 했다.

중학교 때 학교 교지(校誌)에 내 시가 게재되었던 까마득한 기억이 있다. 지금 생각해 보면 아마 제목은 '운동화'였던 거 같은데, 운동화가 빵구가 나서 빗물이 새고 친구들한테 창피하지만 그래도 아버지가 고생해서 사 주신 운동화니까 오래오래 고맙게 신어야겠다는, 참 웃기지도 않는 내용이었던 걸로 기억한다. 그래도 아버지는 그걸 세상에서 제일 좋은 글이라고 생각하셨는지, 가위로 오려서 지갑에 넣고 다니셨다. 그러다가 술이 얼큰해지면 안주머니에서 지갑을 꺼내 종잇장을 흔들어대며 내 아들 시가 책에 실렸다고 술주정 삼아 자랑하시곤 하던 장면이 떠오른다. 숨길 수 없는 자랑이었던 모양이다. 나는 그게 참 싫었는데…….

나는 시인(詩人)은 아니다. 물론 시를 논할만한 실력도 당연히 없다고 단언한다. 그런데도 가끔 떠오르는 짧은 생각이나 느낌들을 끄적거리기는 했다. 그렇게 끄적거렸던 짧은 글들이 컴퓨터에서 이런저런 파일 속에 팽개쳐져 돌아다니는 게 싫기도 하고 안쓰럽기도 해서, '시집(詩集)'이라는 이름을 붙여 책으로 엮기로 작정했다. 어쩐지 소설을 발표하던 때와는 다른 낯간지러움이 느껴진다. 세상의 시인들이여, 시 같지 않은 글이라 여겨지더라도 이해해 주기 바란다.

아이들 놀이터가 텅 비어 있다. 꼬맹이들이 하하호호 떠들며 즐기던 그네도 미끄럼틀도 시소도 모두 버려진 채로 쓸쓸하다. 이파리 떨어진 은행나무와 대추나무 몇 그루가 썰렁한 바람에 몸을 잔뜩 웅크린 채 휑뎅그렁한 놀이터를 물끄러미 내려다 볼 뿐이다. 아파트의 겨울은 올해도 어김없이 삭막하다.

2023년 겨울 박희선

차 례

제2부 고백(告白)

제3부 묵상기도(默想祈禱)

제1부 계절 단상(季節斷想)

무상(無常)

하루가 가듯
계절이 지나가고
계절이 지난 자리에
세월이 덮였다

켜켜이 덮인 세월
한 겹씩 들추며
지나간 계절을
살아온 흔적을
하나씩 새김질하는
그런 나이가 되었으니

무상(無常)이라는 말이
이제는 실감난다

내 세상

오지(奧地) 기행 텔레비전 프로그램을 보는데
알록달록 원색(原色)의 강렬한 모자를 쓰고
주렁주렁 은장식(銀裝飾) 귀고리를 늘어뜨린 여인의
환하게 웃는 모습
그 아래로 자막(字幕)이 흐른다
-여기보다 더 넓고 좋은 세상이 있나요

그래 산간(山間) 오지의 그 여인보다
얼마나 더 넓은 곳을 보고
얼마나 더 다양한 사람을 만나고
얼마나 더 행복을 느끼며 살았을까

그냥 살아왔으니까
아직도 내 세상이 넓은 줄로만 믿고 산다

연둣빛 바람

아파트 단지(團地) 너머
하늘 끄트머리에서
쭈뼛대며 서성이던 봄 향내가
하룻밤 새
가로수 가지 끝에
바람으로 스며들었다

3월은
지난 밤 몰래 스며든
연둣빛 바람에서 시작된다

모래내시장의 봄

모래내시장 버스 정류장 길바닥엔
겨우 야채 몇 가지만 무더기 지어 파는
초라한 좌판이 늘어서 있다

겨우내 입고 있던 무거운 잠바를 벗지 못하고
아직도 털목도리를 칭칭 두른 여인네들이
좌판만큼이나 초라한 모습으로
지나가는 사람들을 눈길로 붙잡는다

횡재라도 만난 듯 연방 헤헤거리며
까만 비닐봉지에 봄동을 덤으로 얹는
늙수그레한 여인의 거친 손등을
꽃샘하는 저녁 바람이 야속하게 쓸고 간다

벚꽃

순수(純粹)의 눈꽃으로
무리지어 피었더니

청순(淸純)을 시새우는
바람 문득 부는가

나른한 봄 하늘에
꽃비[花雨]되어 흩날리는
아
쉬
움

청양 벚꽃길

벗이 있어
화사한 벚꽃이구나
꽃이 있어
훈훈한 인정(人情)이구나

걸음마다 밟히는 순수(純粹)의 꽃그림자
눈길마다 나풀대는 순결(純潔)의 꽃맵시
시샘하는 봄비에 꽃잎 지건만
누구라도 먼저 하얀 웃음으로 반겨주고

비안개 몰려가는 청양 벚꽃길
마음속의 사치(奢侈)가 오히려 부끄러워
세상 시름 홀가분히 벗어 버리니
벚꽃 향기 한 가득 품속을 파고든다

벗이 있어
모두 함께 꽃마음이구나

꽃이 있어
어깨 겯고 신명겹구나

진달래

-강화 고려산에서

사랑이
무에 그리 안타깝다고
피울음 삼키며
애태우는가

산등성이 넘어 넘어
먼 끝 허공에
타는 가슴
마른 재를
한 줌 바람으로 흩뿌리련만

바람마저
울음으로 삼키는
선홍(鮮紅)빛 진달래

산행(山行)

등산로마다 사람들이 들끓었고
산봉우리마다 진달래가 한창이었다

지천으로 퍼져 있는 진달래 향기는
가장 낮은 봉우리에서부터
가장 높은 봉우리까지 퍼져 있다가
등산객들이 숨 몰아쉬며 도착하면
수줍은 듯 고개도 들지 못하고
발 없는 소문처럼 앞질러
저만큼 산등성이를 넘어가고 있었다

산봉우리마다 진달래가 한창이고
등산로에는 진달랫빛 얼굴들이 환히 웃었다

봄

멀어졌던 그리움이
언뜻 생각나면

사랑하고픈 마음이
얼핏 스며들면

그게
봄이거든요

민들레

아파트 102동 옆 보도블록 틈새에 몰래 숨어 웃고 있는 작은 민들레를 보는 순간 아 샛노란 탄성이 절로 나오더이다

그러나 친구여 꽃이 피었다고 아파트 보도블록 틈새까지 노란 민들레가 웃고 있다고 봄이 왔다는 말을 너무 쉽게 하지 말자 그 꽃을 피울 때까지 땅 속에서 긴 겨울을 견디며 숨죽이며 수고한 가슴 미어지는 꽃의 사연을 생각하며 봄이 왔노라는 말을 너무 쉽게 소리 내어 말하지 말자

그리고 친구여 꽃이 아름답다고 하여 보도블록 틈새의 샛노란 민들레가 너무 투명하고 아름답더라도 사랑스럽다는 말을 너무 쉽게 하지 말자 사랑은 간직하는 것이라니 따뜻한 아름다움을 가슴에 차곡차곡 채우며 그 따뜻함이 그 아름다움이 흘러넘칠 때까지 사랑하노라 감히 소리 내어 말하지도 말자

아파트 보도블록 틈새 저 민들레의 황홀함이 드디어 씨앗을 잉태하고 그 씨앗이 바람에 불려 어느 알지 못하는 황폐한 땅에 뿌리를 내리고 또 다시 꽃을 준비하기 위해 인고할 때 그때서야 비로소 사랑이라고 소리 내어 말해보자

수채화

개나리
여린 꽃잎
행여 놀랄까
살포시
스며드는
수채화
봄
비

새싹

부끄럼 타듯
남몰래 숨어있는
다소곳 여린 새싹

하늘 닮은
맑은 영혼

어머니의 봄

목발 두 개로
겨우내 갑갑하게 지내시더니
며칠 전
목발 하나로도 걸을 수 있다며
교회에도 나갈 수 있다며
어머니는 좋아라 하셨다

오늘 낮에는
버스를 두 번이나 갈아타고
마을버스를 내려 45번 버스를 타고
용현동 재래시장엘 다녀오셨단다

수술한 다리가 완전치도 않은데
또 넘어지시면 어쩌냐는 걱정에
봄옷 마땅한 게 있을까 가 봤는데
변변한 게 하나도 없더라시며
봄나물만 한 무더기 사 오셨단다

목발 하나에 의지하여
힘겹게 다녀오신 어머니의 나들이
시장바닥에 쌓여 있는 봄내음만
고향처럼 아릿한 연둣빛 봄내음만
하나 가득 비닐봉지에 담아 오셨단다

섬

사람들은 저마다
작은 섬 하나씩을
가슴에 품고 산다

해무(海霧)에 싸여
언뜻언뜻 뵈는 작은 섬은
그리움이기도 하다가
외로움으로 떠오르기도 한다

사람들은 저마다
작은 섬 하나씩을
가슴에 감추고 산다

고향

당산(堂山)나무 서 있던 언덕배기엔
고압선 철주(鐵柱)가 대신 서 있고
연륙교(連陸橋) 놓인 부두
연락선 끊긴 그 섬은
이미 유년(幼年)의 섬이 아니다

내 가슴에 떠 있는 아스라한 섬에는
하루에 한 번 뱃고동이 동화(童話)처럼 울었는데
뱃고동 소리 그리워하지 않는
세상과 잇대어진 닳아빠진 그 섬은
이미 유년(幼年)의 나를 잃어 버렸다

아버지

그리움 너머 먼 곳에
아버지는 계시다

해 저물고
피곤이 묻어 있는 거리
값싼 소주 한 잔으로
어깨를 늘어뜨린 모습
그것이 삶의 무게임을 알았을 때

의욕 잃고
번민에 흔들리던 시절
가슴 속 침묵의 말씀으로
그윽이 바라보던 눈빛
그것이 진한 사랑임을 알았을 때

아버지는
저만큼에서

그리움으로 서 계시다

한식 전야(寒食前夜)

내일 아침이면
찬밥 한 덩이 물 말아 먹고
메마른 벌초하며
아버지- 부르려 했는데

하룻밤이 길다고
한밤중
아들 찾아 먼 길 오신 아버지

꽃내음

꽃내음
한가득
가슴에 고이면

꽃물 되어 묻어나는
아련한
그리움

산수유

노란 꽃망울
산수유 가지 끝에
상긋한 봄내음
살짝 묻어 있다

신선한 봄바람
언뜻 스쳐간다

낙화(落花)

유난히 신선(新鮮)한
사월(四月)의 밤바람

고향처럼 포근한
달빛
뜰 안 가득 은은한데

무심(無心)하게 지는
순백(純白)의 목련(木蓮)
꽃이파리
하나
가슴에 아릿하다

생채기

걸레질을 하던 아내의 손등에
무엇에 긁혔는지
생채기가 났다
일회용반창고 하나
선뜻 붙여주지 못하고
문득
아내의 가슴에 긁힌
날마다 날마다 내가 긁어 놓은
그 많은 아내의 생채기는
어떻게 아물었을까
미안함만 가득하다

어버이 날

어제 저녁만 해도
올해는
기어이 카네이션을 사리라 했는데
밤늦은 내 손은
올해도
영락없는 빈손이었다

오늘 아침
딸아이가 사 온 거라며
와이셔츠와 넥타이를 내 놓는
어머니를 향해
나는 그만 멋쩍게 웃고 만다

그러나 그 웃음은
웃음이 아니었다

설레임

모든 설레임은
내 가슴에서 시작되었다

영롱한 이슬방울이
파르르 풀잎에서 전율할 때
애틋하게 설레는 마음은
늘 내 가슴에서 비롯된 것이었다

해당화(海棠花)

햇빛 고운 꽃잎 속에
바다 냄새 묻어 있다

섬마을 내 고향의
파도 소리 아련하다

풍경

한 줄기 소낙비가
쓸고 지난 안마당
손톱만한 청개구리
눈망울만 또랑또랑

동구 밖 산허리에
비안개 돌아가면
철 이른 허수아비
멋에 겨워 우쭐우쭐

잠 없는 밤

아파트 뒷창문에
밤새가 날아와서 밤새도록 울었다

아스라한 고향 뒷산에도
밤새가 살았었다
밤만 되면 청승맞게 울어대는 밤새는
어쩌면 제 집을 찾지 못한
길 잃은 산새일 거라 생각하며
숫꿍숫꿍 호르르호르륵
밤이 깊어질수록
더욱 처량해지는 울음소리에
무서워 움츠리며 잠을 설쳤는데

이런저런 생각이 깊어
나이 탓이려니 뒤척이며 잠 못 이루는 밤
귓가에 잉잉잉 귀울음인가 했더니

뜬금없이 아파트 뒷창문에
고향 뒷산이 내려앉으며
밤새가 날아와서 밤새도록 울고 갔다

만남

대공원 관모산을 오르는 길에서
마주오던 그가 반갑게 손을 흔든다

일 년 쯤 됐을까
그를 마지막 봤던 때가

너무 변한 그의 얼굴이
쇠락하는 풀잎 같은 그의 어깨가

아 차라리 마주치지 않았어야 했다

처방전(處方箋)

건강해 보여서 참 좋아요

오랜만에 만난 후배의 말에
인사치레인 줄 알면서도
괜히 마음이 우쭐해진다

예전과 달리 몸이 찌뿌둥한데
누구한테도 말은 못하고
그저 혼자서 걱정만 하는 나이
그런 나이가 벌써 됐는데

건강해 보인다는 후배의 말이
지나가는 말인 줄 알면서도
용한 의사의 처방전처럼 고맙다

계룡산 삼불봉(三佛峰)

닭의 벼슬 머리에 인
기다란 용의 형상

들어서는 골짜기마다
때마침 장맛비에 물소리 우렁우렁

어느 계곡인들 사연이 없으련만
깊이 갈수록 청아(淸雅)한 물보라
찌든 가슴 씻어준다

삼불봉(三佛峰) 꼭대기에
거친 숨소리 뱉어내며
부처 세 봉우리에 내 시름 던져놓고

다시 속세(俗世)로 내려오는 길
디뎌 밟는 돌계단마다 힘든 걸음 위로하니

가벼워진 마음에

모든 욕심 없어지더이다

어느 저녁에

아버지는
술기운이 어느 정도 거나해지면
한쪽 눈을 찡긋하며
입가를 씰룩거리셨는데

그게 못마땅해서
술에 취한 아버지가 부끄럽기도 했는데

어느 저녁에
잇몸이 거북해서
혀끝에 힘을 주고 어금니를 밀어내다가
문득 일그러진 내 모습을 보노라니
영락없는 아버지라

아
아버지

화인(火印)

코딱지가 덕지덕지
젖먹이를 안고 있는
까만 아이가 있다
버캐가 끼고
침이 말라붙은 입술로
수줍은 웃음 지으며 나를 바라본다

눈동자가 뭉클하다
저렇게 깊은 눈
저렇게 무구(無垢)한 눈동자라니
청정(淸淨)한 눈빛 속에
문명(文明)에 찌들어 욕심 사나운
내 눈이 오히려 구차(苟且)하다

생맥주집에서 한 잔이면
1년간 학교를 다닐 수 있다는
아프리카 오지(奧地)

흙먼지 날리는
길바닥의 어린 눈이
얼굴보다 커다란 눈동자가
아 불도장[火印]이 되어
지글지글 가슴을 태운다

기도원 가시던 날

기도원에 다녀오마고 나서시는
어머니
뒷모습이 힘겹다

오늘따라
왼쪽 다리가 유난히 기우뚱대며
성경가방을 멘 어깨가 무겁다

남들처럼 젊은 시절
남들처럼 봄꽃놀이 한번 못 가시고
생선 광주리 머리에 이고
이 골목 저 골목 발품을 팔다가
어둑해진 대문을 들어설 때엔
어머니는 그저 힘이 넘치는 줄만 알았는데

당신을 위한 기도는 한 마디도 않고
오직 가족들 기도로 세월을 보내시더니

오늘 기도원에 다녀오마고 나서시는
어머니의 뒷모습이
안개처럼 흐려진다

어느 새

마른 풀잎처럼
문득
가슴이 허전해지면

어느 새
가을

코스모스

젊은 시절 간이역에서 서성이던
저녁놀의 설레임도 없이

코스모스 꽃잎 속으로
무심한 9월이 지나간다

화석(化石)

중생대 백악기에 살았다던
암모나이트 화석(化石)을 보다가
퇴화(退化)되어 돌멩이처럼 굳어가는
내 마음의 화석을 발견하다

넥타이 탓

넥타이를 매고 거울을 보는데
어쩐지 길이가 늘어진 거 같아
풀어서 다시 매고 다시 거울을 보니
배꼽 위쪽까지 바짝 당겨진 것이
영 보기가 싫다
이번에는 다른 넥타이를 매고 보는데
이거 또한 성에 차지 않아
거울 속의 우스운 모습을 바라보며
곰곰 생각하니
사실은 넥타이 탓이 아니라
불쑥 나온 내 배가 탓이라
나잇살 나잇배 탓으로
아무리 화려한 넥타이 유행하는 넥타이를 매도
여전히 볼품이 없는 것을
애꿎게 넥타이 길이만 길다 짧다 탓하고 있자니
하릴없이 가슴이 허전하다

낙엽 지다

비 개인 아침
명징(明澄)한 하늘
가슴에 아릿한데

추억처럼 선연(鮮姸)한
별이 되려는 듯
언뜻 부는 갈바람에
낙엽
지다

나사못

돋보기안경을 쓰려는데
갑자기 나사못이 빠져 나가 못쓰게 됐다

책상 아래로 떨어졌음이 분명하거늘
안개처럼 흐릿해진 눈으로
그 작은 나사못을 어떻게 찾겠나 하여
애당초 나사못 찾기를 포기하고 말았다

눈에 잘 띄지도 않는 작은 나사못 하나 때문에
눈앞의 것도 제대로 바라볼 수 없는데
머릿속에 있는 나사못이 빠진다면
세상이 얼마나 흐릿해질 것이며
얼마나 엉터리로 보일까

가슴 속에 있는 나사못이 빠진다면
마음이 얼마나 메말라 비틀어질 것이며
얼마나 황량하게 보일까

나사못이 빠져
못쓰게 된 돋보기안경을 만지작거리다가
퇴화되는 눈을 비비는 대신
마음이 퇴화되지 않을까 하여
문득 가슴을 쓸어 본다

가을 꽃잎

꽃이 꽃으로 피어 있을 때
하늘을 닮아 있고
꽃이 꽃잎으로 떨어질 때
아련함에 숨이 막힌다

바람 스치고 간 가슴에는
아직도
가을이 꽃잎으로 남아 있다

가을앓이

가로수 스쳐가는 차창(車窓) 멀리
가을이 지나가고
떨어진 이파리처럼 초라해진 마음에
꽃내음으로 스며드는
아 가슴 여린 사람들의 가을앓이

해풍(海風)

-강화 석모도 해명산에서

비안개 멀리
세월처럼 누워 있는
작은 섬들
-주문도 볼음도 말도

너른 바다 밝히려나
해명산(海明山) 너머
얽매임을 풀어주는
보문사(普門寺) 내려다보며

떡갈나무 낙엽 위로
해풍(海風) 언뜻 스쳐가니
디뎌 밟는 발자국마다
짠 내음 묻어난다

아버지를 찾아갔다

아버지를 찾아갔다
철 지난 토요일에
떼를 새로 입혀 드렸는데
혹시 뿌리가 들뜨지는 않았는지
삽 한 자루 휘두르며 오르는 길에
공동묘지 어디쯤에서
까마귀 울음소리 까악 들려와
갑자기 부끄럼이 앞섰다

생전에
이부자리 하나 변변히 모시지 못하다가
이제야 겨우
거친 떼만 달랑 입혀 드리고 만족하는
아직도 철없는 내 모습이 얄미워서
산까마귀 울음 지나가는 뫼 곁에 앉아
낮 뜨거운 한숨을 내쉬었다
아버지는

- 아무려나 내 다 안다
하시는 듯 말씀이 없으셨다

건망증

혈압 때문에 매일 한 번씩 먹는
하얀 알약을 멍하니 바라본다

물 한 모금 입에 물고
탁 털어 넣으면 그만인데
조금 아까 먹은 것도 같고
아닌 것도 같고
도무지 가물가물하다

그만 무서워진다

세월(歲月)

지나온 세월
아무리 생각해도
부끄럽기만 한데

둘러보면 언제나
제자리에 서성이며
맴을 도는데

소슬한 바람
가을을 싣고
저만큼 지나간다

눈 온 아침

붉은 벽돌 연립주택 지붕에
밤새 쌓인 하얀 눈이 아늑하다

은빛 물고기 비늘처럼
황홀하게 쏟아지는 아침 햇살
아 축복이다

겨울새

채 밝지도 않았는데
창문 밖
은행나무 가지 끝에
작은 겨울새 하나
이파리처럼 앉아 있다

아파트의 달

아파트 허리께에
음력 보름
하얀 달이 걸렸다

힘든 삶으로 지쳐
조각난 꿈처럼
콘크리트벽에 잘려나간
아파트의 보름달은
핏기 없이
해쓱하다

행복하지 않은가

아직은 사랑할 무엇이 있고
해야 할 무엇이 있고
간절히 바라는 그 무엇이 있으니
행복하지 않은가

결점 하나 없이 완벽할 리 없어
어딘가 부족한 듯 어수룩한 듯
나머지를 채우려는 노력이 있으니
그것 또한 행복이지 않은가

누구라도 사연 많았을 지나온 세월
이제 다시 거슬러 갈 수는 없으니
강물처럼 그저 흘러 흘러가야지
그래도 이만큼 행복하지 않은가

제2부 고백(告白)

고백 -1

그리움의 빗줄기
마음을 적시더니

반짝
햇빛 닮은
주님 목소리
고운 무지개로
빛나다

고백 -2

그냥 웃었어요

꼭 하고 싶은 기도가 있었는데
고백하고 나면 하릴없이 허전할까
그냥 웃기만 했는데

참 좋았어요
마주보며 웃어 주는
온화한 주님 모습

고백 -3

비 개인 하늘
햇살 가득 눈부시고

주님 향한 기도
마음 가득 간절하고

고백 -4

은빛 물비늘
반짝이는 호숫가

그윽이 바라보는
주님 눈빛이
축복처럼 고와라

고백 -5

향긋한 봄바람이
창문을 엽니다

상큼한 봄햇살이
마음을 엽니다

주님이 내게 주신
축복의 아침입니다

고백 -6

주님 기억합니다

새로움에 설레며
눈뜨는 아침마다
축복처럼 다가오는
하늘빛 맑은
당신의 그 미소를

고백 -7

가슴을
비워야
사랑을 채운다지요

욕심 가득
질투 가득
끝내
답답한 이 아침

이럴 때만
주님을 찾습니다

고백 -8

그리움은
주님을 만나야 한다는
간절한 소망입니다

소망은
주님께 기댈 수 있다는
숨김없는 기쁨입니다

고백 -9

그저
빙긋 웃어주기만 해도
그게 축복인 줄 아는데

사랑한다고
그렇게 말해 주시다니요

고백 -10

눈 감으면
저녁 어스름 밀려가는
노을 속에
화사한 웃음으로
주님이 서 계셔라

제3부 묵상기도(默想祈禱)

묵상기도: 요한복음 21장 15절

네가 나를 사랑하느냐
물으실 때
당신이 알고 계십니다
떳떳이 말하게 하소서

예수님을 버리고
사랑을 버리고 도망갔던 시몬에게
다시 베드로의 자리로
다시 사랑의 자리로 돌아오라 하신
그 물음을 기억하게 하소서

네가 나를 사랑하느냐
물으실 때
당신이 이미 알고 계십니다
떳떳이 고백하게 하시고
내 너를 안다 웃어 주소서

묵상기도: 베드로전서 5장 7절

아프면 아프다고
힘들면 힘들다고
슬프면 슬프다고
그렇게 말하게 해 주세요

아닌 척
모르는 척
짐짓 태연한 척
가슴만 붙잡을 게 아니라

모든 염려를 당신께 맡기고
아프면 아프다고
힘들면 힘들다고
스프면 슬프다고
그렇게
소리 내어 말하게 해 주세요

묵상기도: 시편 23편 1절

내게 부족하지 않게 하시니
내가 부족함이 없어라

이미 부족함이 없음을 알고
필요치 않은 것을 구하지 않게
세상의 것을 탐하지 않게
필요 이상으로 바라지 않게 하소서

헛되고 헛된 것이 세상의 것이니
헛되고 헛되게 살지 않게 하시고
복되고 복된 것이 당신의 것이니
복되고 복되게 당신과 함께 하게 하소서

내게 부족함이 없게 하시니
내가 스스로 부족함이 없어라

묵상기도: 요한복음 15장 5절

참 포도나무가 당신이시니
가지로서의 순종의 삶을 살게 하소서

지금 이 순간도 좋은 열매를 맺게 하시려
끊임없이 손질해 주고 계심을 믿습니다

손질해 주시는 끊임없는 그 과정이
아프고 불편하다고
지루하고 막막하다고
불평만 하고 살아왔음을 고백합니다

사랑 넘치는 당신의 손질을 견디며
끝까지 당신 안에 거하기를 소원합니다
다른 사람은 다 떨어질지라도
끝까지 붙어 있는 가지가 되고자 합니다

순종의 열매로 당신께만 영광 돌리게 하시고

오직 당신하고만 동행하는 삶이 되게 하소서

묵상기도: 열왕기상 7장 27절

당신이 주신 다섯 달란트가
두 달란트보다 더 귀하다고 여겼습니다
그러나 다섯 달란트 받은 종에게 하신 칭찬이나
두 달란트 받은 종에게 하신 칭찬이
모두 똑같이 귀한 당신의 은혜임을 깨닫습니다

제사장의 손을 씻는 물두멍이
놋받침 수레보다 더 귀하다고 여겼습니다
그러나 제사장의 손을 거룩하게 하는 물두멍이나
물두멍을 실어 나르는 놋받침 수레가
모두 똑같이 필요한 성전 제구(祭具)임을 깨닫습니다

어떤 사람이든 혹은 어떤 물건이든
그 존재만으로도 가치가 있고
보잘것없이 초라하게 보일지라도
반드시 필요한 곳은 있으니
하나님이 만드실 때

이미 그 용처(用處)를 정하셨기 때문입니다

사람들 사이에 무용(無用)한 사람은 없고
세상의 존재 중에 무용(無用)한 물건은 없습니다
두 달란트 받은 사람의 사명도 중요하고
놋받침 수레도 거룩한 제사를 위해 꼭 필요합니다
남을 업신여기는 말로 죄 짓지 않게 하시고
무용지물(無用之物)이라는 말을
결단코 싫어하게 하소서

묵상기도: 잠언 14장 15절

나는 참 귀가 얇다
맨발로 걷는 것이 건강에 좋다는 말을 듣고
다음 날부터 당장 등산화를 벋고 관모산을 올랐다

나는 참 포기를 잘한다
발바닥에 굳은살이 박이면 오히려 안 좋다는 말에
다음 날부터 다시 등산화를 챙겨 관모산을 올랐다

나는 참 핑계도 많다
과학적으로 효능이 입증된 것도 아닌데 하면서
맨발로 걷기를 포기한 나를 옹호하며 위로했다

나는 정말로 귀가 얇다
나에게 솔깃한 말은 무조건 좋아하며
달콤하게 유혹하는 사탄의 말을 구별하지 못했다

나는 정말로 포기를 잘한다

금식기도 새벽기도 성경통독 심방전도
작심삼일을 넘기면 그저 감사할 따름이었다

나는 정말로 핑계도 많다
당신이 창조한 세상 모든 것을 아시는 분이니
내 마음 내 믿음도 아실 거라 스스로 위안을 삼았다

얇은 귀로 오락가락하고
쉽게 포기하고 핑계를 대며 그럭저럭 지냈으니
세상살이도
믿음살이도
그래 나는 입때껏 어리석게만 살아왔다

묵상기도: 잠언 16장 18절

무심하게 올려본 하늘에서
희미하게 떠 있는 별을 보았다

인공(人工) 불빛 가득한 도회의 하늘에서
영롱한 제 빛을 잃기는 했지만
별은 주눅 들지 않고 빛을 냈다
교만(驕慢)하게 현란한 불빛 속에서
오히려 은은하게 빛을 내고 있었다

비록 어렴풋하지만
거만(倨慢)하게 젠체하는 황홀함보다
드러나지 않도록 조심하며
겸손하게 빛을 내는 별이
무심하게 올려본 밤하늘에 있었다

묵상기도: 민수기 14장 28절

나의 마음에서 불신과 의심을 없애고
하나님 말씀만 가득 채우기를

나의 입술에서 불평과 불만을 지우고
선한 믿음의 말이 덧입혀지기를

나의 눈길이 세상 열락에 머물지 않고
주님 은혜의 십자가만 바라보기를

나의 행동이 앞뒤 생각 없이 내닫지 않고
삼가 겸손하게 하나님만 드러내기를

묵상기도: 잠언 1장 7절

항상 주님을 두려워하며
나를 드러내지 않게 하소서

나를 뻐기며 내세우기 전에
먼저 이웃을 사랑하게 하시고
대접 받기를 바라기 전에
먼저 이웃을 환대하게 하소서

주님이 주시는 좋은 것을
지혜롭게 마음껏 누리게 하시고
지극히 미련한 자임을 고백하며
항상 주님을 두려워하게 하소서

묵상기도: 예레미야 2장 36절

먼 옛날 이스라엘이 저지른 불순종은
이스라엘 백성들만의 죄가 아닙니다
이스라엘이 지었던 그 모든 죄들은
당신의 길에서 벗어난 지금의 저의 죄입니다
부지런히 바쁘게 돌아다니기는 했지만
은혜의 길과 세상의 길 사이에서
간에 붙었다 쓸개에 붙었다 하며
지조 없이 길을 바꾸고 또 바꾸었으니
앗수르와 애굽에게 수치를 당했던 이스라엘처럼
이제 세상에게 수치를 당하는 지경이 되었습니다

당신의 책망을 받아들이지 않고
어리석게 대항하는 죄를 지었습니다
당신의 은혜를 값없이 누리면서도
내가 잘난 줄만 알고 살았습니다
당신의 길만이 형통의 길임을 알면서도
일부러 세상의 길을 기웃거렸습니다

당신의 이웃 사랑을 뻔히 알면서도
힘없는 이웃을 못 본 체 외면했습니다

나의 길을 돌아보면 돌아볼수록
형통의 길보다는 책망의 길을 걸었으니
앗수르와 애굽에게 수치를 당했던 이스라엘처럼
이제 세상에게 수치를 당하는 지경이 되었습니다

묵상기도: 민수기 21장 5절

하늘에서 비같이 내리는 만나를
경이롭게 값없이 아귀아귀 먹었는데
이제는 물렸다고 진저리 치면서
차라리 애굽의 종으로 다시 돌아가자고
모세를 원망하던 이스라엘 족속에서
불만으로 가득 찬 나 자신을 봅니다

당신을 따르기로 작정한 삶이
얽매는 사슬의 속박(束縛)처럼 느껴지고
베풀어 주시는 은혜가 하찮게 여겨지고
그래서 자꾸만 세상으로 고개를 돌리고
불평과 원망으로 투정만 부렸습니다

이제 기도합니다
만나처럼 내리는 은혜에 물린 나를
이스라엘 족속처럼 원망 가득한 나를
차라리 세상으로 돌아가고 싶은 나를

찬송의 목소리가 점점 기어드는 나를
당신의 보살핌에 감사하지 않는 나를
용서하시고 다시 품어 주소서

묵상기도: 에베소서 5장 8절

내가 전(前)에는 어둠이었다
악한 행위를 즐거워하며
빛보다 어둠을 더 사랑하는 자였다

내가 전에는 어둠이었다
총명이 어두워져서 마음이 굳었고
완악한 마음으로 사망의 땅에 사는 자였다

내가 전에는 어둠이었다
음침한 그늘에서 방황하며
하나님의 생명에서 떠나 있는 자였다

내가 이제는 빛이고 싶다
십자가 보혈의 은혜로
마음의 눈이 환히 밝아지기를 소원한다

내가 이제는 빛이고 싶다

음침한 그늘에서 뛰쳐나와
빛나는 믿음으로만 살아가기를 소원한다

내가 이제는 빛이고 싶다
깊고 깊은 사망의 골짜기에서
생명의 빛을 오롯이 드러내기를 소원한다

묵상기도: 빌립보서 2장 3절

허리에 수건을 동여매고
종의 모습으로 무릎을 꿇은 채로
친히 제자들의 더러운 발을 씻는
예수의 겸손한 사랑을 본다

하늘 영광의 왕이지만
낮은 땅으로 몸을 굽히고
겸손의 왕이 된 예수

높은 마음을 품지 않고
낮고 낮은 곳에서
가난한 영혼을 영접한 예수

예수의 겸손한 사랑처럼
나를 높이지 않고
이웃을 영접하며 발을 닦아 주는
무릎 꿇는 종으로 거듭나면 좋으련만

묵상기도: 민수기 33장 48절

아바림 산을 떠나 여리고 맞은편
요단 강가 모압 평지에 진을 친 이스라엘
이제 저 요단강만 건너면 약속의 땅인데
광야에서의 모진 고난이 또렷하게 떠오른다

불기둥과 구름기둥으로 인도하신 하나님께
순종하기보다는 불순종이 더 많았던 광야
그 광야에서의 축복과 심판이 생각나서
다시금 순종을 다짐하며 가나안을 바라본다

가라 하면 가고 멈추라면 멈추며 걸었던
우여곡절의 기나긴 여정을 견딘 이스라엘
이제 약속의 땅을 바라보는 모압 평지에서
순종의 결단으로 모질었던 그 고난을 잊는다

묵상기도: 시편 51편 10절

아무리 들어도 들리지 않았습니다
아무리 보아도 보이지 않았습니다
마음이 없으니
진리(眞理)의 말씀이 들리지 않고
은혜(恩惠)의 손길이 보이지 않았습니다

아무리 혀를 놀려도 소리가 나오지 않았습니다
아무리 눈을 감아도 눈물이 터지지 않았습니다
마음이 없으니
영광(榮光)의 찬송이 나오지 않고
회개(悔改)의 기도가 터지지 않았습니다

주여 내 속을 깨끗한 마음으로 새롭게 하시고
내 속을 견고한 심령으로 거듭나게 하소서
진리의 말씀과 은혜의 손길에 감사하며
영광의 찬송과 회개의 기도가 넘치는 삶으로
당신이 오실 그 날을 위해 등불을 준비케 하소서

박희선 / 월간 『문학공간』(1993년 7월호)에 단편소설 '흔들리는 불빛'이 추천 작품으로 게재되면서 소설을 쓰고 있음. 소설집 『별빛소리』, 장편소설 『혼자 가는 계절』, 『빈 가슴에 바람은 불고』, 『목마른 자를 보라』를 출간함.